i Rhodri a Catrin
SL

i Mike, Angharad a Lewys
GR

Argraffiad cyntaf – 2005

ISBN 1 84323 387 8

Dymuna'r cyhoeddwyr gydnabod cymorth
Cyngor Llyfrau Cymru.

Cynllun y clawr: Olwen Fowler

Argraffwyd yng Nghymru gan
Wasg Gomer, Llandysul, Ceredigion
www.gomer.co.uk

JOSHUA RHYS
a'r neges frys

Siân Lewis

•

Gillian Roberts

Gomer

Mae hi'n ddiwrnod arbennig i Joshua Rhys.
Ond ble mae e'n mynd ar gymaint o frys?
I barti, efallai, neu ddisgo neu ddawns,
I agor anrhegion neu gardiau, siawns?

Na, mae Josh ar ei ffordd i siop Magi Puw
I helpu anifail sy wedi cael briw.
Fe ddisgynnodd y wiwer yn lletchwith o'r coed
Ac mae angen rhoi sling ar ei braich yn ddi-oed.

4

Does neb fel Mag Puw (Mam-gu Josh yw hi)
Am wella anifail. Os oes gyda ti
Ryw neidr fawr lithrig â phoen yn ei llwnc,
Neu eliffant llwyd gyda chric yn ei drwnc,
'Slywen â'r bendro, ystlum â chlais,
Iâr wedi clochdar nes colli ei llais,
Cadno un-llygad, llygoden â'r ig,
Byji'n dioddef o boen yn ei big,

Mae Magi Puw'n barod i'w helpu nhw i gyd
Yn ei siop cymorth cyntaf ar gornel y stryd.

Ac os nad ydy'r cleifion yn byw yn y dre',
Does dim rhaid gofidio, waeth –wir! - dim ots ble
Mae anifail yn byw, yn Hong Kong neu Sir Fôn
Gall roi galwad i Mag ar ei Twci-ffôn.

'Y Twci-ffôn? Beth yw hwn?' meddet ti.
Wel, weli di'r deryn â'r plu, sgleiniog du
A'r big fawr liwgar, gwyrdd, melyn a choch?
Twcan yw hwnna. Mae ganddo fe gloch
Sy'n canu'n ei ben pan fydd rhywun â briw
Yn galw'n druenus, 'Help! Help, Magi Puw!'

Mae'r twcan bach yma yn clywed o bell.
Am dwcan rhyfeddol! Fu 'rioed dwcan gwell.
Mae'n rhoi'r neges i Magi. Aiff hithau fel saeth
I helpu'r anifail dros bellter go faith.
Dydy Josh erioed wedi mynd gyda hi.
'Rwyt ti braidd yn rhy ifanc,' meddai'i fam-gu.

7

Ond heddiw mae'n ddiwrnod arbennig iawn, iawn.
'Rôl gweithio mor galed drwy'r bore a'r pnawn,
Fe suddodd Mag Puw yn ddiolchgar i'w stôl
A'r wiwer yn eistedd yn glyd yn ei chôl.
Roedd Josh wrthi'n helpu i dwtio ei sling
Pan glywyd sŵn uchel: BRRRING! BRRRING!
BRING! BRING! BRING!

I ffwrdd â Josh Rhys ar wib lan y stâr
A dyna beth rhyfedd!

Gyda WHIIIII! gyda WHARRRR!
Fe dasgodd y twcan ar draws y tŷ bach
Wedi'i lapio mewn papur, yn union fel sach.

'Mam-gu!' gwaeddodd Josh. 'Mam-gu! O, dewch glou!
Mae Twc yn y bath a'i lygaid yn troi!
Mae e'n gwneud rhyw sŵn od, rhyw "yngl-yng-yngl".'

'Na, na,' meddai Mag. 'Mae e'n trio dweud "jyngl".'
Mae e am i fi fynd i'r jyngl ar frys.
Nawr faint yw dy oed di, Joshua Rhys?'

'Dwi'n wyth oed heddiw,' meddai Joshua'n glên.
'Hwrê!' gwaeddodd Mag. 'Rwyt ti'n ddigon hen
I ddod gyda fi i'r jyngl bellennig.'

'O, waw!' meddai Josh. Dyna anrheg arbennig –
Cael mynd gyda Mag, Twc a Gwenan yr ŵydd
I'r jyngl bellennig ar ddydd ei ben-blwydd!

WHIIIII! I lawr â phob un drwy'r bibell fawr ddu
Nes cyrraedd y seler ymhell dan y tŷ.

Plymiodd Mag ar ei phen i focs ar y llawr
A gweiddi, 'Josh Rhys! Dyma siwmper fawr
A bocs cymorth cyntaf. Nawr cydia'n fy llaw.
Pawb yn barod i fynd? Ffwrdd â ni!'

SGRIIIAAAAW!

Fel roced fawr nerthol i fyny â Mag
Gyda Twc ar ei hysgwydd a'r ŵydd yn y bag.

'Rôl teithio am sbel fe gyrhaeddon nhw'r jyngl
A disgyn o'r awyr. 'Ch…ch…ch….yngl!'
Gwichiodd y baedd, wrth i Mag lanio – SBLAT! –
Ar ei ben, druan bach, a'i wasgu e'n fflat.

Fe welwyd e'n union gan Magi, drwy lwc,
A dyma hi'n galw: 'Nawr pwy ffoniodd Twc?
Pwy sydd mewn helynt? Pwy sydd yn drist?'

'Fiiiiiiiii!' hisiodd neidr yn ei chlust.
'Dw i a'm ffrindiau yn gleisiau i gyd.
Mae'r mwnciod bach yn swingio o hyd
Gan ddefnyddio'n cynffonnau ni fel rhaff.'

'O, na!' meddai Magi. 'Dyw hyn ddim yn saff.
Dere â'r bocs cymorth cyntaf, Josh Rhys.
Rho dipyn o eli ar flaen dy fys.
Yna rhwbia bob neidr - yn dyner, yntê?
Fe a' inne i nôl tebot i gael paned o de.'

Tra roedd Joshua'n rhwymo'r holl nadroedd i gyd
Aeth Magi i eistedd ar foncyff mawr clyd.
Yn ei hymyl roedd boncyff arall, yn llawn
O fwnciod bach trist a siomedig iawn.
Wnawn ni ddim swingio eto ar nadroedd hir,'
Medden nhw wrth Mag. 'Ryn ni'n addo. Wir!'

'Da iawn,' meddai Mag gan chwerthin yn iach,
'Ond peidiwch â phoeni, fwncïod bach.
Dw i ddim am ddifetha eich hwyl a'ch sbri.
Os ydych chi am swingio, dewch gyda fi.'

Aeth Mag â'r mwncïod i lannerch glir
Lle roedd rhesi o frigau, rhai hir, hir, hir.
WHIW! I ffwrdd â'r mwncïod gan gydio'n y dail
A gweiddi, 'Diolch, Mag! Dyma le di-ail!'

'Hwrê!' meddai'r nadroedd. 'Diolch, Mag. Diolch yn fawr.
Fydd dim rhaid i ni boeni am y swingio nawr.
Diolch, Twc, a diolch, Josh. Pen-blwydd hapus i ti!
Beth am gael parti fan hyn gyda ni?'

24

'Caton pawb!' meddai Mag. 'Faint yw hi o'r gloch?'
'Rôl cael cip ar ei wats fe waeddodd yn groch:
'Rhaid i ni'ch gadael chi'n ddiymdroi.
Mae gyda fi rywbeth i'w baratoi.'
'Hwyl fawr,' meddai Josh, 'i bawb yn y jyngl.'
'Hwy-aw!' crawciodd Twci, 'iaw-yngy-yngl!'

'Hwyl fawr i chi i gyd!' meddai Mag gyda winc.
Fe afaelodd yn Josh ac yna mewn chwinc –

Gyda CHLEC! anferthol na fu 'rioed ei bath –

Adre â nhw gan roi sioc fawr i'r gath.

Neidiodd Mag ar ei thraed yn syndod o sionc
A diflannu i'r gegin . . .

Aeth Josh linc-di-lonc
I'r siop i weld a oedd pob un yn iawn.
Ond dyna beth od . . .

Doedd y siop ddim yn llawn
O anifeiliaid bach sâl! Ble oedd pawb wedi mynd?
'Pa..pa...ti!' crawciodd Twci gan dynnu ei ffrind.

Wel, dyma syrpreis! Canodd Mag dros y lle,
'Pen-blwydd hapus, Josh! Pen-blwydd hapus!
Hwrêêêê!'

Am ben-blwydd ardderchog! Y gorau erioed!
'Dwi mor falch,' meddai Josh, 'fy mod i'n wyth oed.'

'Bydda i'n wyth fory eto, on'd bydda i, Mam-gu?
Ble ca i fynd nesa gyda Twci a chi?'